ファテープル・シークリー
ムガル帝国の栄光と「幻の都」
［モノクロノートブック版］

JN122281

アーグラの西40kmに位置するファテープル・シークリーは、ムガル帝国が絶頂を迎えた1569～74年にかけて造営された。「イスラム教徒とヒンドゥー教徒がともに共存する世界」という第3代アクバル帝の理想を具現するように、両宗教の建築様式が融和して丘に展開している。

　都が造営される以前、ここシークリー村には聖者サリーム・チェシティーが庵を構えていて、なかなか恵まれなかったアクバル帝の跡継ぎの誕生を予言し、実際にその通りにサリーム王子が生まれた。アクバル帝はいたく

感激し、聖者への恩返しとして自ら指揮をとって都を造営し、ここへ宮廷機能を遷すことを決めた。

　1585年までムガル宮廷がおかれていたが、実際、水の供給がうまくいかなかったため、この都はわずか10年程度で放棄されることになった。けれどもそれゆえに破壊をこうむることなく、ほぼ完璧なかたちで当時の宮殿やモスク群を残すことになった。現在、世界遺産に登録されている。

Asia City Guide Production
North India 013

Fatehpur Sikri

फ़तेहपुर सीकरी / فتح پور سیکری

｜まちごとインド｜ 北インド 013 ｜

ファテープル
シークリー

ムガル帝国の栄光と「幻の都」

「アジア城市（まち）案内」制作委員会
まちごとパブリッシング

Contents

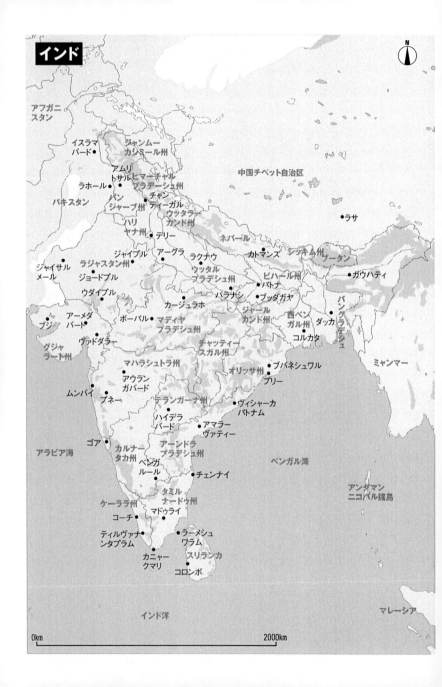

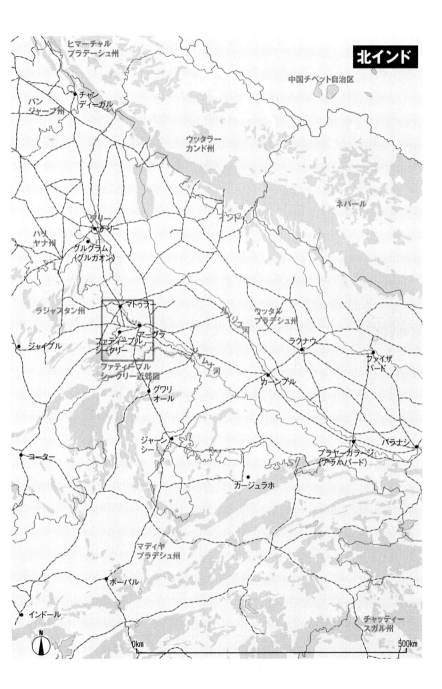

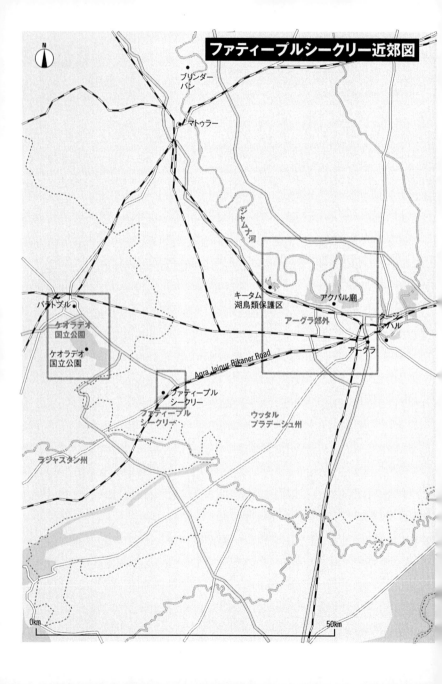

ファティープルシークリー近郊図

N

ブリンダー
バン

マトゥラー

ジャムナ河

キータム
湖鳥類保護区

アクバル廟

バラトプル

ケオラデオ
国立公園

ケオラデオ
国立公園

アーグラ郊外

ターター
アクバル

アーグラ

Agra Jainur Bikaner Road

ファティープル
シークリー

ファティープル
シークリー

ウッタル
プラデーシュ州

ラジャスタン州

0km 50km

★★★
ファテープル・シークリー *Fatehpur Sikri*

★★☆
アクバル廟 *Mausoleum of Akbar*
ケオラデオ国立公園 *Keoladeo National Park*

★☆☆
キータム湖鳥類保護区 *Keetham Lake Bird Sancuary*
バラトプル *Bharatpur*

アクバル帝の理想を実現

ヒンドゥー建築のチャトリとイスラム建築のドーム
ここではさまざまな様式美が昇華されムガルの繁栄は絶頂を迎える
この都は10年で破棄されたがゆえ全貌を残している

皇子誕生を予言した聖者に捧ぐ

　インド史に残るムガル帝国の名君アクバル帝にもひとつの悩みがあった。それは自身の跡継ぎがなかなか生まれないことで、アクバル帝はアジメールのイスラム聖者チシュティー廟に巡礼して男の子宝を授かるよう祈っていた。1568年、アジメールからの帰路、アクバル帝がシークリー村に庵を結ぶ聖者シェイフ・サリーム・チシュティーを訪ねると「5年以内に3人の王子が生まれ、ムガル王家はますます繁栄するだろう」との言葉を受けた。翌年、その予言の通りに男の子が生まれたので、アクバル帝は喜び、聖者の名前をとってサリームと名づけた（後に第4代ジャハンギール帝となる）。さらに翌年、次男ムラードが生まれ、ついで3人目も懐妊したため、これを記念してファテープル・シークリーが造営されることになった。

勝利の都

　アクバル帝が即位したころ、インド各地には地方勢力が跋扈し、ムガル帝国もまた北インドの一部を支配する一勢力に過ぎなかった。このようななか積極的な外交政策に打って出たアクバル帝は、この都が造営されていた

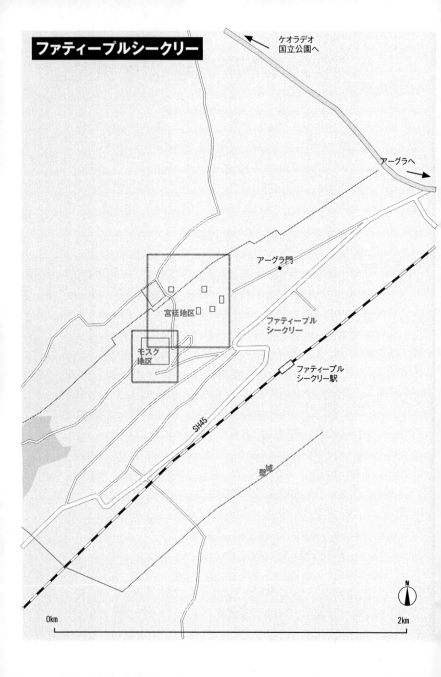

ファティープルシークリー

ケオラデオ
国立公園へ

アーグラへ

アーグラ門

ファティープル
シークリー

ファティープル
シークリー駅

宮廷地区

モスク
地区

SH45

聖域

N

0km　　　　　　　　　　　　　　　　　　　　2km

ころ、西インドのグジャラート地方へ遠征を行ない、これを平定しアラビア海への港を手にいれた。そのためシークリー村の新たな都に「勝利」を意味するファテープルを冠して、ファテープル・シークリーと名づけられた(建設中に仮名でファタバードと呼ばれていた)。また、この地は古くヒンドゥー寺院があったところで、ムガル帝国初代バーブル帝が庭園を築くなどムガル帝国ゆかりの地でもあった。

ファテープル・シークリーの構成

　北西に人造湖をおき、丘の上をはうように展開するファテープル・シークリーは、大きく宮廷地区とモスク地区とにわけられる。徐々にできた街ではなく、わずかな時間で都がつくられたため、明確なプランをもっている。そこではチャトリ、柱と梁の構造、木造様式といったヒンドゥー建築の特徴と、上部に載るドームやレンガづくりのイスラム建築の特徴の双方が入りまじっている。異なる技術と伝統を融合させるため、アクバル帝は建築家、技術者らの意見を積極的に聞き、それを尊重したという。この街がつくられたころ、ムガル帝国は最盛期を迎え、インドに安定がもたらされたことから、外側への開放性が強いのも特徴とされる。

★★★
モスク地区 *Mosque Area*
宮廷地区 *Palace Area*

★☆☆
アーグラ門 *Agra Darwaza*

タイムカプセルのように保存された都市

木陰で涼をとる人々が見える

柱と梁がもちいられた様式、ヒンドゥーとイスラムが融合した

子宝を願う女性が多く訪れる

Mosque Area
モスク区鑑賞案内

中世インドでも有数の繁栄を誇った
グジャラートを征服したアクバル帝
その様式が帝国の都にもちこまれることになった

モスク地区 ★★★
Mosque Area／Ⓗ मस्जिद क्षेत्र　Ⓤ

　ファテープル・シークリー西部を構成するモスク地区。モスクやイスラム聖者廟のほか、この都には隊商宿、浴場などイスラム都市に共通して見られる建物が残っている。ブランド・ダルワザがジャーミ・マスジッドの南門にあたる。

ブランド・ダルワザ ★★☆
Buland Darwaza　Ⓗ बुलन्द दरवाज़ा　Ⓤ

　ブランド・ダルワザ(「高い門」「勝利の門」を意味する)は、アクバル帝のグジャラート遠征の成功で1573年に改築されて現在のかたちになった。中央のイワンが大きく開き、赤の強い色彩が存在感を際立たせている。高さは41mで、ムガル帝国が征服したグジャラートの方角(南)を向いてそびえる。赤砂岩の本体に白大理石をはめ込んだ装飾がされており、それは新たな領土となったグジャラート職人の技術なのだという。

ジャーミ・マスジッド (ダルガ・モスク) ★★☆
Jame Masjid　Ⓗ जामा मस्जिद／Ⓤ

　モスク地区の最西端に位置する巨大なジャーミ・マス

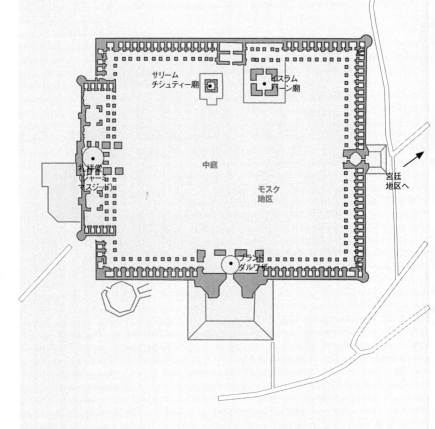

モスク地区

サリーム
チシュティー廟

イスラム
ハーン廟

礼拝堂
（ジャミー
マスジッド）

中庭

モスク
地区

ブランド
ダルワザ

宮廷
地区へ

0m   100m

N

ジッド。王族の宮殿に隣接するように配置されている。インドでも最大規模を誇るこのモスクは、1571年に造営され、金曜日の集団礼拝が行なわれていた。中庭を囲むようにアーチ型の列柱回廊が展開し、礼拝堂近くでは梁と柱がもちいられたヒンドゥー様式を確認できる。

サリーム・チシュティー廟 ★☆☆
Mausoleum of Salim Chishti／ⓗ सलीम चिश्ती का दरगाह／
ⓤ سليم چشتی کا مقبرہ

アクバル帝の跡継ぎの誕生を予見したイスラム聖者サリーム・チシュティーが祀られた墓廟。サリーム・チシュティーの予言が的中したことを記念して、都城ファテープル・シークリーが造営され、アクバル帝はその子をサリーム(後の第4代ジャハンギール帝)と名づけた。この廟は聖者が没した後の1580年に築かれ、当初は赤砂岩と白大理石が用いられていたが、後に白大理石に統一された。「アクバルの跡継ぎ誕生」の逸話から、宗教を問わず、子宝を祈願する女性たちの巡礼を集め、透かし彫りの窓枠に布きれを結ぶことでその願いがかなうと信じられている。

イスラム・ハーン廟 ★☆☆
Mausoleum of Islam Khan／ⓗ इस्लाम खान का मकबरा
ⓤ اسلام خان کا مقبرہ

イスラム・ハーン廟は、イスラム聖者サリーム・チシュティーの孫や、そのほかのイスラム聖者が祀られた霊廟。巨大な中心のドームを囲むように建物上部には小さ

なチャトリが連続する。ヒンドゥー教徒が大多数を占める南アジアにあって、イスラム聖者の人徳や清貧生活が人々の共感を呼ぶなどイスラム教の布教に成果をあげた。

ファテープル・シークリー／ムガル帝国の栄光と「幻の都」

屋根にチャトリを載せるジャーミ・マスジッド

アクバル帝が征服したグジャラート様式の門

当時の最高の技術をもってつくられた

イスラムのイワン（門）のうえにヒンドゥーのチャトリ（亭）が載る

モスク地区に残るイスラム・ハーン廟

ひっそりとした回廊、列柱が連なる

宮廷区鑑賞案内

ムガル王族たちが暮らした宮廷地区
ヒンドゥーとイスラムの様式が融合した
アクバル帝の理想が具現化された

宮廷地区 ★★★
Palace Area ⓔ पैलेस क्षेत्र ⓙ پیلس

　ファテープル・シークリーの東側をしめる宮廷地区。アーグラから遷都され1585年までの十数年、ここにはムガル帝国の宮廷がおかれていた。この宮廷地区の諸建築では、柱と梁で構成するインド式の建築様式が随所に見られ、イスラム教とヒンドゥー教という異なる宗教建築がひとつに融合している。またヒンドゥー教徒のための沐浴場もそなえられていた。

ジョード・バーイ宮殿 ★★☆
Jodh Bai's Palace ⓔ जोधाबाई का महल／ⓙ جودھ بائی محل

　イスラム風のアーチ型門とヒンドゥー建築の柱をもつなど、この都城の建設理念がここに示されたジョード・バーイ宮殿(アクバル宮殿)。1569年に建てられたこの宮殿でアクバル帝は起居し、その政務がとられた。その後宮もここにあり、ジョード・バーイという名前は、ラージプートからアクバル帝に嫁いできた王妃にちなむ。アクバルの長男サリームを出産した王妃は、「マリアムズ・ザマニ(宇宙の聖母マリア)」の称号で呼ばれるようになった。

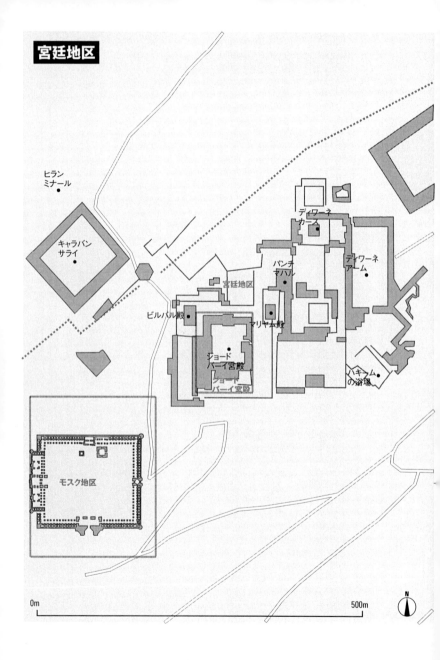

宮廷地区

ヒラン
ミナール

キャラバン
サライ

ディワーネ
カース

パンチ
マハル

ディワーネ
アーム

宮廷地区

ビルバル殿

マリヤム殿

ジョード
バーイ宮殿

ハキーム
の浴場

ジョード
バーイ宮殿

モスク地区

0m   500m

N

ムガル王家とラージプート王族の婚姻

　　宮廷地区にあるジョード・バーイ宮殿の名前は、アクバル帝の跡継ぎを生んだ王妃からとられている。彼女はラジャスタン(ラージプート族)のアンベール王家の娘で、ラージプート族はクシャトリヤの末裔を自認し、名誉と武勲を重んじる誇り高い人々だった。8世紀ごろに登場し、グプタ朝以降のインドの有力者であり続けたため、支配者たちにとってラージプート族をどのように扱うかが大きな課題となっていた。ムガル帝国はラージプートと婚姻関係を築くことで、同盟関係を強める政策をとった。ファテープル・シークリーでは双方の文化が融合した宮殿を見ることができる。

ビルバル殿 ★☆☆
Birbal Bhavan　Ⓔ बीरबल भवन／Ⓞ بیربل بهون

　　ヒンドゥー詩人ビルバルの名前が冠されたビルバル殿。アクバル帝は彼の詩を好み、自らのそばにおいて寵愛していた。建物の入口が中央からはずれるなど、特徴的なプランをもち、本体壁面、柱にも精緻な彫刻がほどこされている。1569年に建てられた。

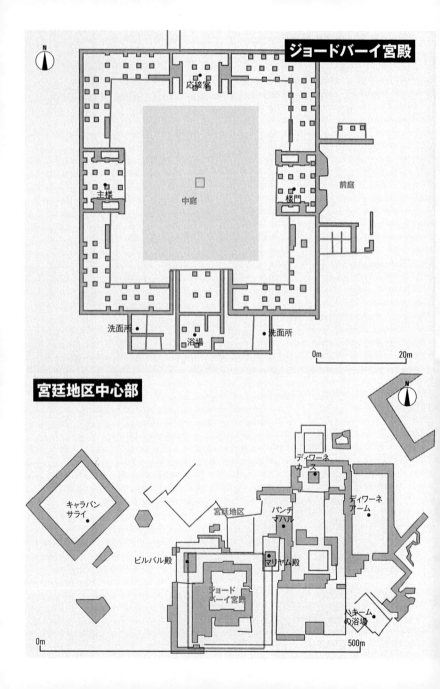

ジョードバーイ宮殿

応接室

主楼

中庭

楼門

前庭

洗面所

浴場

洗面所

0m　　　　　　　　20m

宮廷地区中心部

キャラバンサライ

宮廷地区

ディワーネカース

ディワーネアーム

パンチマハル

ビルバル殿

マリヤム殿

ジョードバーイ宮殿

ハキームの浴場

0m　　　　　　　　500m

パンチ・マハル(五層閣) ★★☆

Panch Mahal ㋪पंचमहल／㋡ لۆ گ

　五層からなるパンチ・マハルは、王族の娯楽のための楼閣で、特徴的な姿をしている。建物は赤砂岩を素材とするが、壁がなく、柱と梁がむき出しのままになっている。この梁と柱の様式はヒンドゥー建築のもので、一般的なイスラム建築では見られない。パンチ・マハルの下では人間を駒に見立てたチェスが行なわれ、アクバル帝を愉しませたのだという。1570年に建てられた。

最強皇帝アクバル

　ムガル皇帝のなかで唯一「大帝(アクバル大帝)」とも呼ばれるアクバル帝は、アショカ王とならんでインド史を代表する名君の誉れが高い。強力な軍事力と財政基盤を背景に皇帝を頂点とする中央集権体制を築き、イスラム教徒だけでなく、ヒンドゥー教徒、ジャイナ教徒、ゾロアスター教徒などすべての人々に公平な政治を行なった。アクバル帝が発行したコインには、「アッラー・アクバル」と刻まれていて、それは「神は偉大なり」という意味のほかに「神はアクバル帝なり」とも解釈できるのだという。

マリヤム殿 ★☆☆

Mariam's House／ⓗ मरियम हाउस　ⓤ مریم ہاؤس

　アクバルに愛された王妃マリヤムのための宮殿。建物内部の壁面に、金色で描かれていた叙事詩『ラーマーヤナ』のラーマ王子や猿神ハヌマーンのほか、ペルシャ風の壁画などがあったことから、「サナハラ・マカン（黄金の宮殿）」と呼ばれていた。

ディワーネ・アーム (公的謁見殿) ★☆☆

Diwan-e-Amm／ⓗ दीवान-ए-आम　ⓤ دیوانِ عام

　アクバル帝が朝、人々と謁見する場所であったディワーネ・アーム。謁見殿は公的謁見殿と私的謁見殿のふたつがあり、こちらは民衆の声を聴くなど一般に向けられたものだった。裁判や政治的なもめごと、税徴収や公共事業に関する経済政策など、皇帝が中央の玉座に座して、裁定をくだしていた。宮殿内には列柱の回廊を四方にめぐらせた中庭をもつ。1570年に建設された。

ディワーネ・カース (私的謁見殿) ★★☆

Diwan-e-Khas／ⓗ दीवान-ए-खास／ⓤ دیوانِ خاص

　一般のための謁見殿ディワーネ・アームに対して、アクバル帝が貴賓に謁見し、行政がとられた宮殿ディワーネ・カース。1570年に建てられた建物は特徴的なプランをしていて、吹き抜けになった内部空間の2階部分に十字型の橋が交差し、その中央に玉座がおかれていた。ここにアクバル帝が座して、階下で行なわれるヒンドゥー教、キリスト教、ジャイナ教、ゾロアスター教、ユダヤ教などの宗教者の議論に耳を傾けたのだという。宗教の融和を目指したアクバル帝は、40歳のときに諸宗教を融合させた自らの宗教ディーネ・イラーヒ（神の宗教）をはじめている。

宮廷地区の中心ジョード・バーイ宮殿

階段状のガートも見られる

ファティープル・シークリーを訪れた人々

アクバル帝はここから人間チェスを愉しんだという、パンチ・マハル(五層閣)

こぢんまりとしたマリヤム殿

皇帝が人々に謁見したディワーネ・アーム（公的謁見殿）

窓から太陽の光が差し込む

ジョード・バーイ宮殿、見応えのある建築

新たなる宗教を創始

　多様な宗教が共存するインド。それぞれ異なる宗教の融合を試みたアクバル帝は、ヒンドゥー教、イスラム教のほかにも、ゾロアスター教、ジャイナ教などの宗教者を謁見場に集めて宗教論争を行なわせた。あらゆる宗教の立場や意見を聞き、対立や異なる考えを乗り越えようという意図があったという。最終的にアクバル帝はさまざまの宗教を融合させたディーネ・イラーヒという宗教を創始し、実際に宮廷の一部ではそれが信仰されていた。

キャラバン・サライ ★☆☆
Caravan Serai／ⓗ कारवां सराय／ⓟ كاروان سراى

　キャラバン・サライは、ラジャスタンや南インド、ベンガル地方と往来する隊商のために用意された宿。ラクダを待機させ、水や食糧の供給が行なわれた。アクバル帝時代には、北インドを横断するグランド・トランク・ロードが整備され、治安もたもたれていたため、経済は大いに繁栄し、各地の物資が隊商によって運ばれた。ここファテープル・シークリーには、遠くヨーロッパからの隊商も訪れていたという。

ヒラン・ミナール(鹿の塔) ★☆☆
Hiran Minar　ⓗ हिरन मीनार／ⓟ ہیران مینار

　高さ21mの望楼ヒラン・ミナール。ハリネズミのように見える本体壁面の装飾は、インドに生息する象の牙をもちいたもの。ここは皇帝が狩りを愉しんだところでもあり、また夜になると火がたかれ、灯台の役割を果たしていた。

ハキームの浴場 ★☆☆

Hammam of Hakim ／ ⓗ हकीम का हम्माम ／ ⓤ حمام حکیم

　ハキームの浴場は、イスラム都市で広く見られる公衆浴場ハマーム。ここでは蒸し風呂や温浴場が整備され、清潔さをたもつため、生活にかかせない場所だった。アクバルに仕えた学者ハキームの名前がとられている。

バオリ ★☆☆

Baoli ／ ⓗ बावली ／ ⓤ باولی

　西インドで古くから見られた階段式の井戸バオリ。イスラム支配下のインドで広がり、雨季と乾季がはっきりわかれるインドにあって水確保のため重要な役割を果たしていた。階下へ降りる階段が複雑にめぐらされ、涼をとるための部屋がおかれるなどの工夫がされている。

アーグラ門 ★☆☆

Agra Darwaza ／ ⓗ आगरा दरवाज़ा ／ ⓤ آگرہ دروازہ

　アーグラ門は、都アーグラへいたるファテープル・シークリー北東の門。赤砂岩とレンガで構成されている。ここから宮廷地区までは道路がまっすぐ伸び、この都の大動脈として整備されていた。

貴賓のみが入場を許されたディワーネ・カース（私的謁見殿）

切り妻屋根の建築も見ることができた

アーグラから郊外に足を伸ばしたところに位置するファティープル・シークリー

渇いた大地が広がる

アーグラ郊外城市案内

世界遺産に指定されているケオラデオ国立公園
アクバル帝が眠るシカンドラ
アーグラから郊外に足を伸ばす

シカンドラ ★☆☆

Sikandra／ⓗ सिकंदरा／ⓤ سکندرا

　アーグラの北西、ジャムナ河の南岸に位置するシカンドラ。シカンドラという地名は、16世紀初頭にこの地に都市を建設したシカンダル・ローディーに由来し、現在ではムガル帝国第3代アクバル帝の墓廟が残る地として知られる。シカンドラのアクバル廟の造営は皇帝の在命中からはじまり、死後のジャハンギール帝治世に完成した。生前に墓廟が完成することもめずらしくない時代にあって、アクバル帝の墓の工事の進行が遅かったのは、ある預言者が「アクバル帝は120歳まで生きる」と予言をしていたからだという。

アクバル廟 ★★☆

Mausoleum of Akbar／ⓗ अकबर का मकबरा／ⓤ اکبر کا مقبرہ

　ジャムナ河が大きく蛇行し、北側に自然が広がる「楽園の都」と呼ばれた場所にたたずむアクバル廟。一辺が700mのチャハール・バーグ庭園の中央に廟本体が立ち、赤砂岩の壁面に白大理石をはめこんだ幾何学文様などがほどこされている。四隅には白大理石製の4本のミナレットがそびえるが、上部にドームを抱いていないムガル建築初期の様式となっている。ヒンドゥー建築とイス

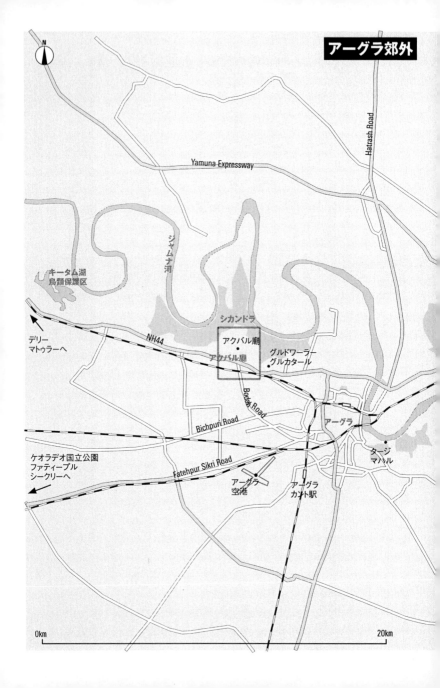

N

Hatrash Road

Yamuna Expressway

ジャムナ河

キータム湖
鳥類保護区

シカンドラ

アクバル廟

NH44

アクバル廟

グルドワーラー
グルカタール

デリー
マトゥラーへ

Bodai Road

Bichpuri Road

アーグラ

ケオラデオ国立公園
ファティーブル
シークリーへ

Fatehpur Sikri Road

アーグラ
空港

アーグラ
カント駅

タージ
マハル

0km   20km

ラム建築を融合させた設計プランは、生前のアクバル帝によって考えられ、死後、ジャハンギール帝の時代に完成した（1605年、アクバルは60歳あまりで没したが、第4代ジャハンギール帝、第5代シャー・ジャハーン帝へと繁栄は受け継がれた）。霊廟の地下に墓室があるが、アクバル帝の遺骨は1687年、アウラングゼーブ帝のイスラム化政策に怒った農民（ジャート）によって略奪にあい、焼き捨てられてしまった。

アクバル廟とプラン変更

死後、遺体を埋葬して遺灰を河に流すインドにあって、アクバル廟、タージ・マハルなどの墓廟は特異なものとなっている。遊牧民の伝統では、子孫が先祖の墓を建てるという習慣がなく、支配者は生前から自らの墓廟を造営しておくことがあった。アクバル廟はその死の3年前から建設に着手していたが、1605年にアクバル帝が没するとその工事はジャハンギール帝に受け継がれた。芸術を愛し、美的感覚に富むジャハンギール帝にとって、アクバル廟を訪れたときにその完成度に失望し、設計を変更させたのだという。

墓石周囲が空室のわけ

アクバル帝の遺体が納められていた墓石の周囲には40もの房で囲まれている。アクバル帝の周囲にムガル王族の墓を安置するために設計されたものだが、実際にはアクバル王妃や王女、アウラングゼーブ帝の皇女の墓が

★★☆
アクバル廟 *Mausoleum of Akbar*

★☆☆
シカンドラ *Sikandra*
キータム湖鳥類保護区 *Keetham Lake Bird Sancuary*
グルドワーラー・グル・カ・タール *Gurudwara Guru Ka Taa*

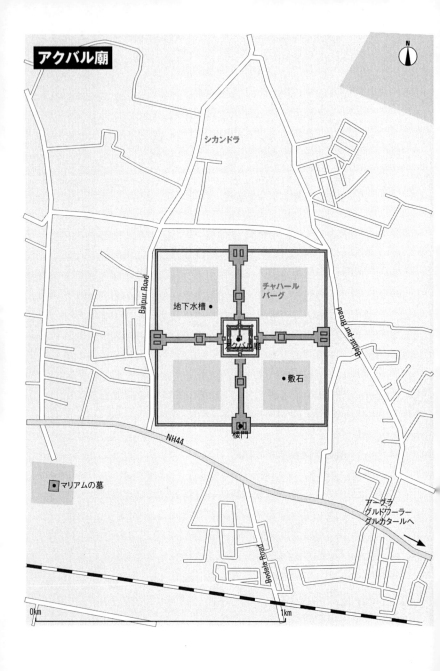

アクバル廟

シカンドラ

Baipur Road

Beblar Road

チャハール
バーグ

地下水槽 •

アクバル廟

• 敷石

NH44

楼門

マリアムの墓

Bodela Road

アーグラ
グルドワーラー
グルカタールへ

0km   1km

N

わずかにおかれているだけでほとんどが空室となっている。王女の墓がここにあるのは、彼女たちが嫁がずに終生アクバル帝の近くで過ごしたためだと言われる。

チャハール・バーグ ★☆☆
Chahar Bagh ／ⓗ चार-बाग ／ⓤ چارباغ

　アクバル廟に展開する美しいチャハール・バーグ様式の庭園。その十字形の道先の四方には門がそびえる。南側の門が正門にあたり、高さ23mの楼門で四方にミナレットが載っている。楼門の刻文には「これらはエデンの園である。なかに入り、永遠に生きよ」と書かれているのだという。

マリアムの墓 ★☆☆
Mariam'Tomb ／ⓗ मरियम का मकबरा ／ⓤ مریم کا مقبرہ

　ムガル帝国第3代アクバル帝(1542～1605年)の妻マリアム・ウズザマニが眠るマリアムの墓。この建物はムガル以前の1495年にシカンダル・ローディーが築いたバラダル宮殿を利用していて、ここにローディー朝の宮廷がおかれていた。一辺36mのプランからなり、建物の四隅にはチャトリが載っている。またイスラム建築様式のアーチが確認できるなど、ローディー朝時代の数少ない遺構となっている。

アフガン族による王朝、ローディー朝

　ローディー朝はデリー・サルタナット朝(13～16世紀)の最後の王朝にあたり、ムガル帝国に替わるまで北インド

★★☆
アクバル廟 *Mausoleum of Akbar*
★☆☆
チャハール・バーグ *Chahar bagh*
マリアムの墓 *Mariam'Tomb*

を支配した。それまでのデリー・サルタナット朝(13〜16世紀)の都は、デリーにおかれていたが、ローディー朝のシカンダルが政治、軍事ともにより優れたこの地へ遷都した。ローディー朝の特徴は、他の王朝がトルコ系であったのに対して、アフガン族による王朝であったということ。パンジャーブ地方の総督バハロール・ローディーがサイード朝の混乱に乗じて1451年、スルタンに即位した。シカンダル、イブラヒムの3代にわたって続き、ムガルのバーブル帝に敗れて王朝は終焉した。

ファテープル・シークリー／ムガル帝国の栄光と「幻の都」

グルドワーラー・グル・カ・タール ★☆☆

Gurudwara Guru Ka Taal ／ ⓗ गुरुद्वारा गुरु का ताल　ⓤ گردوارا گرو کا تال

　アクバル廟の位置するシカンドラに立つシク教寺院のグルドワーラー・グル・カ・タール。ここは17世紀、第9代グル・テグ・バハドゥールがムガル帝国アウラングゼーブ帝の命で逮捕された場所で、殉教したグルに捧げられている。中央にドーム、周囲に小さなドームを配置する白色の寺院は、シク教徒の巡礼地となっていて、近くにはグルテグバハドゥール・コロニーが位置する。

キータム湖鳥類保護区 ★☆☆

Keetham Lake Bird Sancuary ／ ⓗ कीठम लेक　ⓤ جھیل کیتہم

　水鳥や渡り鳥などが生息するキータム湖鳥類保護区。自然公園として保護されていて、キータム湖を中心に貴重な自然の姿が残っている。ジャムナ河のほとりアーグラとマトゥラーを結ぶ街道わきに位置する。

本体四隅に4本のミナレットが立つ

多くの人々が参拝に訪れる

アクバル廟はイスラム様式の建築

ムガル帝国の黄金時代を築いたアクバル廟

バラトプル城市案内

ラジャスタン州の東門にあたるバラトプル
世界自然遺産のケオラデオ国立公園
への足がかりにもなる

バラトプル ★☆☆

Bharatpur ⓗ भरतपुर／ⓤ پھرتپور

　1947年のインド独立以前は、マハラジャの統治する藩
王国の都がおかれていたバラトプル。バラトプルという
名称は、王族の守護神であるバラタに由来する（バラタは
ラーマ王子の兄弟）。街が現在の姿となったのは、1733年、マ
ハラジャ・スーラジ・マルによって以来のことで、街の中
心部にはローハーガルという要塞（宮殿）が残る。また街の
南東部に、ケオラデオ国立公園が広がる。

ケオラデオ国立公園 ★★☆

Keoladeo National Park ⓗ केवलादेव राष्ट्रीय उद्यान ⓤ کیولادیو نیشنل پارک

　ファテープル・シークリーの先、アーグラの西55kmに位
置するケオラデオ国立公園（ラジャスタン州東部）。クロズル
をはじめとするツルの仲間やコウノトリ科のインドトキ
コウといった希少な鳥類が400種類程度棲息しているこ
とから、「バード・サンクチュアリ」と呼ばれ、世界自然遺
産に登録されている。なかには遠く中央アジアから訪れ
る渡り鳥もいて、冬を過ごして飛び去っていく。18世紀
にバラトプルのマハラジャによって整備されたことが自
然公園のはじまりで、その後、バラトプル鳥獣保護区と呼
ばれていたが、この地にあったヒンドゥー寺院名からケ

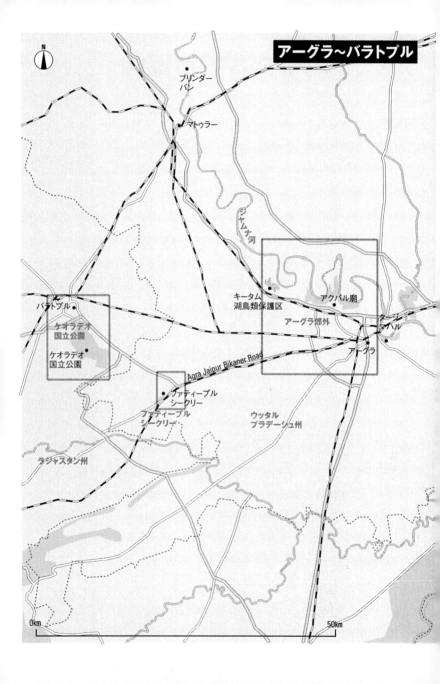

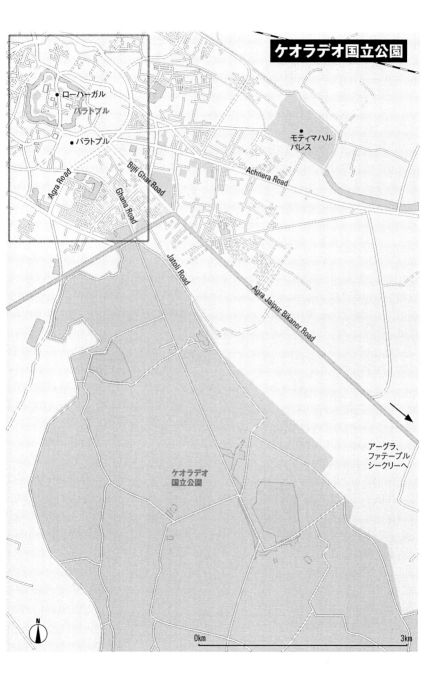

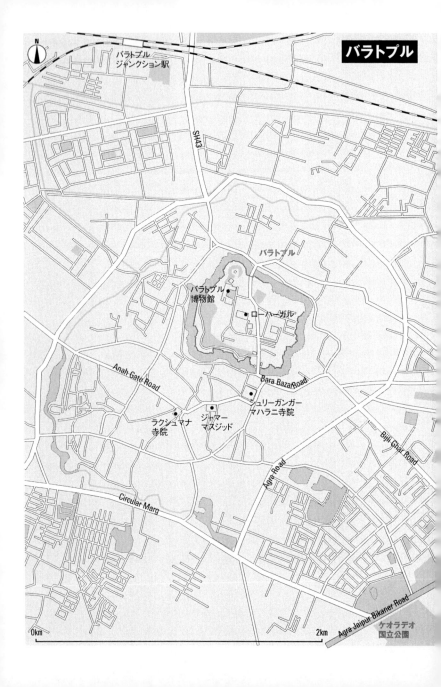

オラデオ国立公園と呼ばれるようになった。

★★★
ファテープル・シークリー *Fatehpur Sikri*

★★☆
アクバル廟 *Mausoleum of Akbar*
ケオラデオ国立公園 *Keoladeo National Park*

★☆☆
キータム湖鳥類保護区 *Keetham Lake Bird Sancuary*
バラトプル *Bharatpur*

超巨大なイスラム王朝

ファテープル・シークリーやタージ・マハル
史上空前の建築群を生み出したムガル帝国
時空を超えるインド・イスラム文化の担い手の肖像

中央アジアからの征服王朝

　ムガルとはペルシャ語で「モンゴル」を意味し、ムガル帝国の初代バーブル帝はティムールとチンギス・ハンの血をひき、弱体化したティムール朝の皇子として中央アジアに生まれた。10世紀以来、イスラム勢力が中央アジアから富めるインドへ侵入し、そこで王朝（デリー・サルタナット朝）を樹立していたが、1526年、バーブルはローディー朝を破ってインド進出の足場を築いた。ムガル帝国以前のデリー・サルタナット朝では、イスラム世界の盟主はカリフでの威光を借りた「スルタン（地方支配者）」が使われていたが、ムガル帝国では「バードシャー（皇帝）」が使われるようになった。

ムガル帝国黄金時代

　ムガル帝国は第3代アクバル帝の時代（在位1556〜1605年）に支配基盤を確立させ、世界でも有数の繁栄を見せるようになった。この時代、ベンガルから中央アジアまで続く帝国の大動脈グランド・トランク・ロード（アーグラ、デリー、ラホール、カブールを結ぶ）が整備された。一方、ヒンドゥー教徒を宮廷に登用することで、イスラム教とヒンドゥー教の

融和が進められた。ムガルの繁栄は第6代アウラングゼーブ帝の時代まで続き、この時代のインドの人口は1億人を超し、その富は広くヨーロッパにまで聞こえていたという。

ムガルの文化

　ムガル帝国の栄華を今に伝えるのがムガル芸術で、イスラム芸術の先進地であったペルシャ様式の建築や庭園がアーグラ、デリーといった街で展開された。その特徴はインドの白大理石、赤砂岩といった自然や素材を使って、巨大な宮殿やモスクが築かれたことにあり、それまでのイスラム王朝のものとは規模が大きく異なった。またムガル宮廷ではペルシャ語が話されるようになり、ヒンディー語にアラビア語やペルシャ語の語彙が混じったウルドゥー語も発展した。その名称は、第5代シャー・ジャハーン帝時代の呼称「ザハーネ・ウルドゥーエ・モアッラーエ・シャージャハナーバード（高貴な陣営の言葉）」に由来する。

ムガル帝国が残したもの

　大陸にもたとえられるインドでは、その歴史を通じてインド全体を統一する国家がほとんど登場せず、人々は近代に入るまで「インド人」という意識をもつことがなかったという。ベンガルとパンジャーブ、デカンでは民族、言語、生活の慣習がまるで異なり、それぞれ別の文化や歴史を有していた。やがてインド全域がイギリスの植民地となり、その支配を受けるなかで「インド人」としての意識が芽生えるようになっていったが、その統一国家への道筋に大きく貢献したのがイギリス以前にインドの大部分を領土としたムガル帝国だとされる。

原色のサリーがインドの大地に映える

ムガルの都がおかれたアーグラ城、赤砂岩がもちいられている

参考文献

『インド建築案内』(神谷武夫/TOTO出版)

『都市形態の研究』(飯塚キヨ/鹿島出版会)

『イスラム建築がおもしろい!』(深見奈緒子/彰国社)

『ムガル美術の旅』(山田篤美/朝日新聞社)

『世界の歴史14ムガル帝国から英領インドへ』(佐藤正哲/中央公論社)

『世界大百科事典』(平凡社)

RS Soami Bagh http://www.rssoamibagh.org/

OpenStreetMap

(C)OpenStreetMap contributors

ファテープル・シークリー／ムガル帝国の栄光と「幻の都」

まちごとパブリッシングの旅行ガイド

Machigoto INDIA , Machigoto ASIA , Machigoto CHINA

まちごとパブリッシングの旅行ガイド

マカオ-まちごとチャイナ

Juo-Mujin（電子書籍のみ）

自力旅游中国Tabisuru CHINA

旅のインド文字

英語
ヒンディー語
ウルドゥー語

英語 ＝ アルファベット
ヒンディー語 ＝ デーヴァナーガリー文字
ウルドゥー語 ＝ ウルドゥー文字

ファテープル・シークリー
Fatehpur Sikri

फ़तेहपुर सीकरी

فتح پور سیکری

モスク地区
Mosque Area

मस्जिद क्षेत्र

مسجد

ブランド・ダルワザ
Buland Darwaza

बुलन्द दरवाज़ा

بلند دروازہ

ジャーミ・マスジッド（ダルガ・モスク）
Jame Masjid

जामा मस्जिद

جامع مسجد

サリーム・チシュティー廟
Mausoleum of Salim Chishti

सलीम चिश्ती का दरगाह

سلیم چشتی کا مقبرہ

イスラム・ハーン廟
Mausoleum of Islam Khan

इस्लाम खान का मकबरा

اسلام خان کا مقبرہ

宮廷地区
Palace Area

पैलेस क्षेत्र

محل

ジョード・バーイ宮殿
Jodh Bai's Palace

जोधाबाई का महल

جوڑا بائَی محل

ビルバル殿
Birbal Bhavan

बीरबल भवन

بیربل بھون

パンチ・マハル（五層閣）
Panch Mahal

पंचमहल

پنچ محل

マリヤム殿
Mariam's House

मरियम हाउस

مریم ہاؤس

ディワーネ・アーム（公的謁見殿）
Diwan-e-Amm

दीवान-ए-आम

دیوانِ عام

ディワーネ・カース（私的謁見殿）
Diwan-e-Khas

दीवान-ए-खास

دیوان خاص

キャラバン・サライ
Caravan Serai

कारवां सराय

کاروانسرای

ヒラン・ミナール（鹿の塔）
Hiran Minar

हिरन मीनार

ہیران مینار

ハキームの浴場
Hammam of Hakim

हकीम का हम्माम

حاکم کا ہمدم

バオリ
Baoli

बावली

باالی

アーグラ門
Agra Darwaza

आगरा दरवाज़ा

آگرہ دروازہ

キータム湖鳥類保護区
Keetham Lake Bird Sanctuary

कीठम लेक

کتھم جھیل

シカンドラ
Sikandra

सिकंदरा

سکندرا

アクバル廟
Mausoleum of Akbar

अकबर का मकबरा

اکبر کا مقبرہ

チャハール・バーグ
Chahar Bagh

चार-बाग

چارباغ

マリアムの墓
Mariam'Tomb

मरियम का मकबरा

مریم کا مقبرہ

グルドワーラー・グル・カ・タール
Gurudwara Guru Ka Taal

गुरुद्वारा गुरु का ताल

گردوارہ گرو کا طل

バラトプル
Bharatpur

भरतपुर

بھرت پور

ケオラデオ国立公園
Keoladeo National Park

केवलादेव राष्ट्रीय उद्यान

کیولاڈو نیشنل پارک

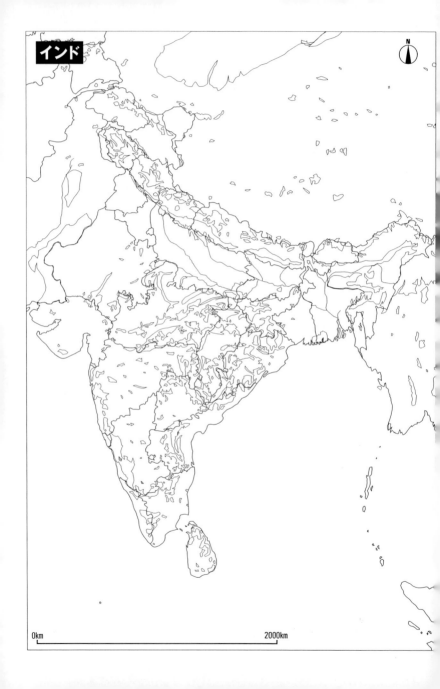

インド

N

0km　　　　　　　　　　　　　2000km

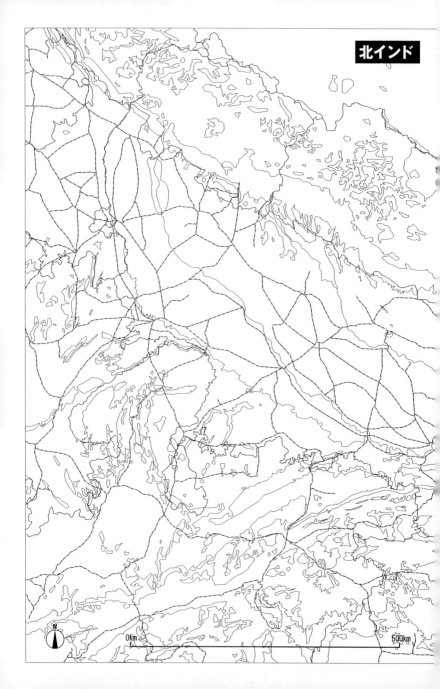

北インド

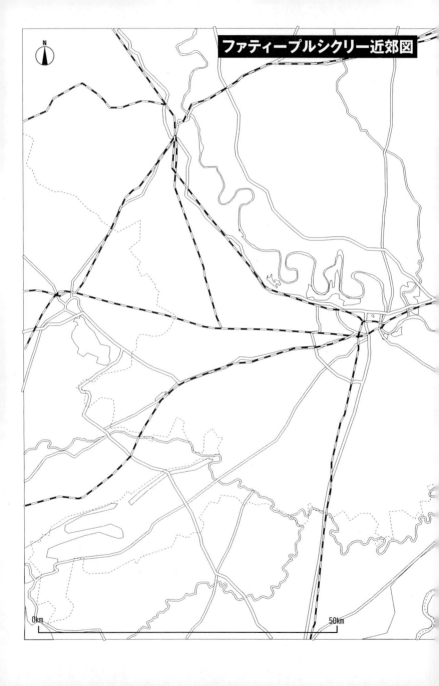

ファティープルシクリー近郊図

N

0km　　　　　　　　　　　　　　　　　50km

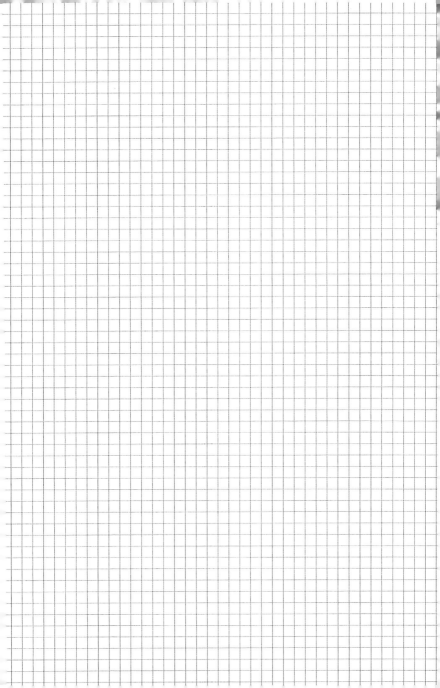

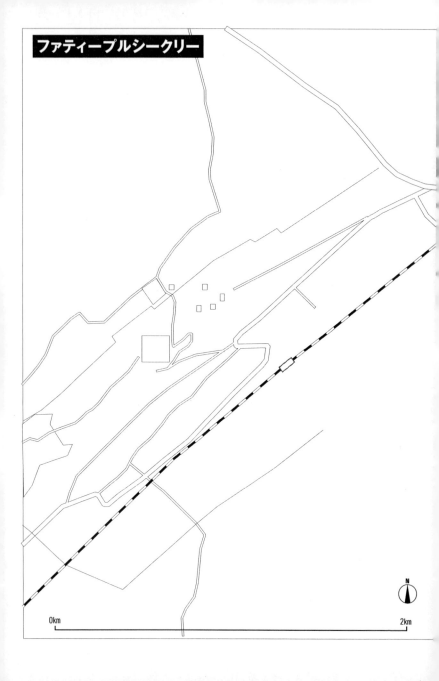

ファティープルシークリー

0km   2km

N

モスク地区

0m   100m

N

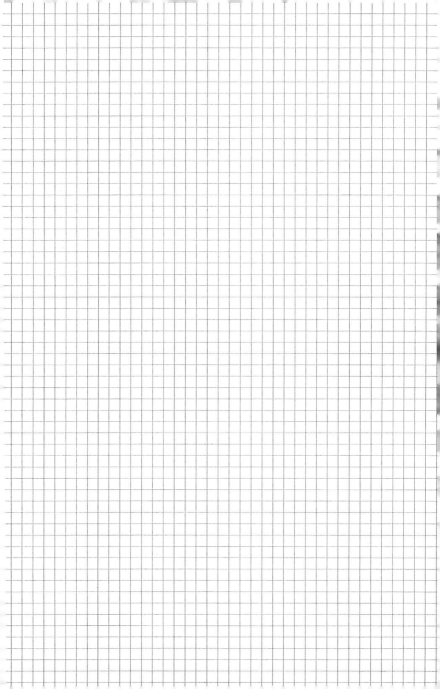

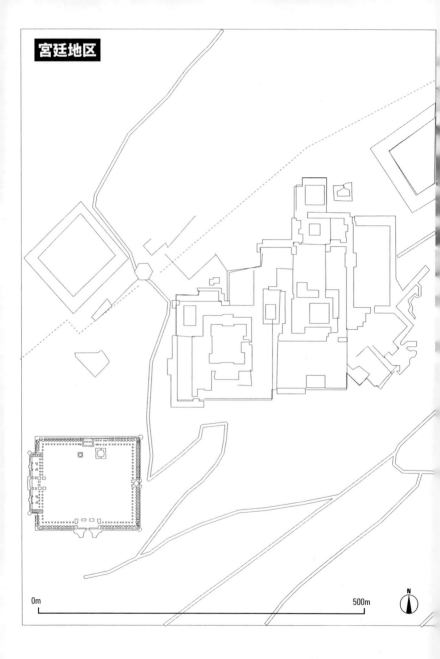

宮廷地区

0m　　　　　　　　　　　　　　500m

N

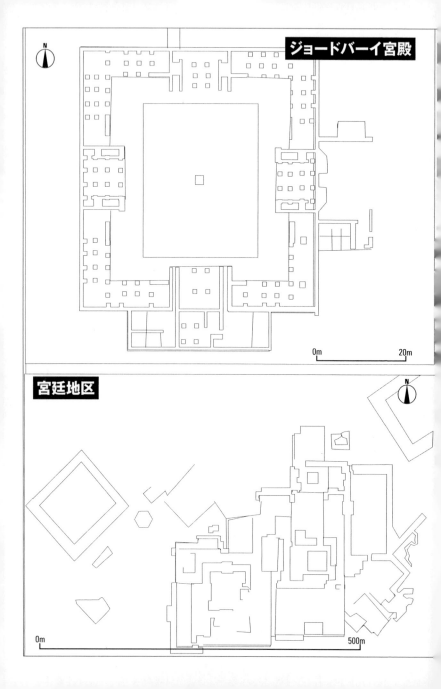

ジョードバーイ宮殿

0m ⎯⎯⎯⎯⎯⎯ 20m

宮廷地区

0m ⎯⎯⎯⎯⎯⎯ 500m

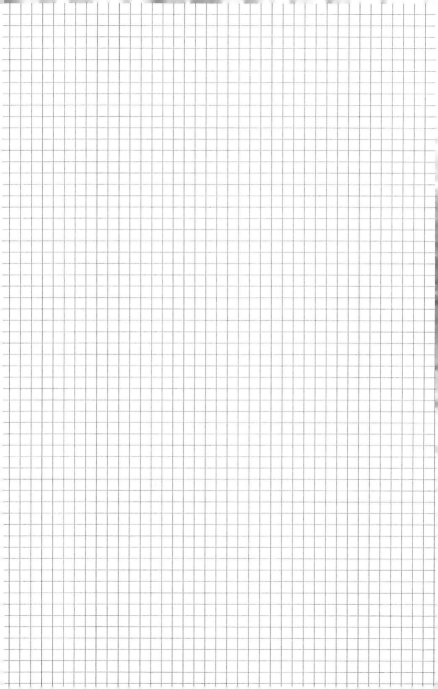

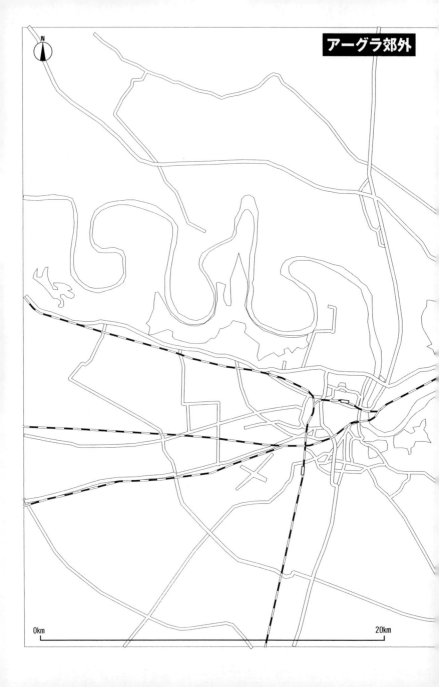

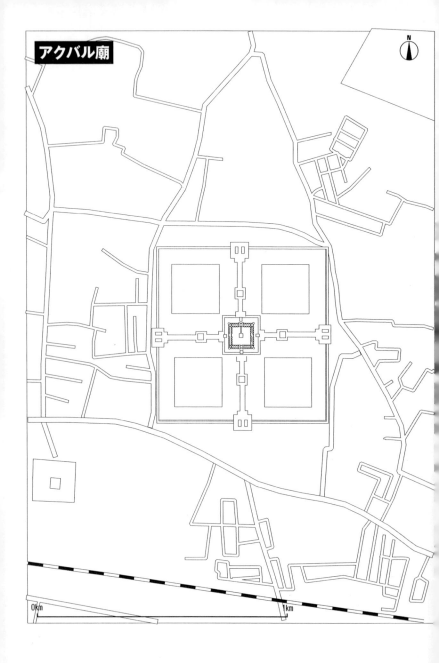

アクバル廟

N

0km   1km

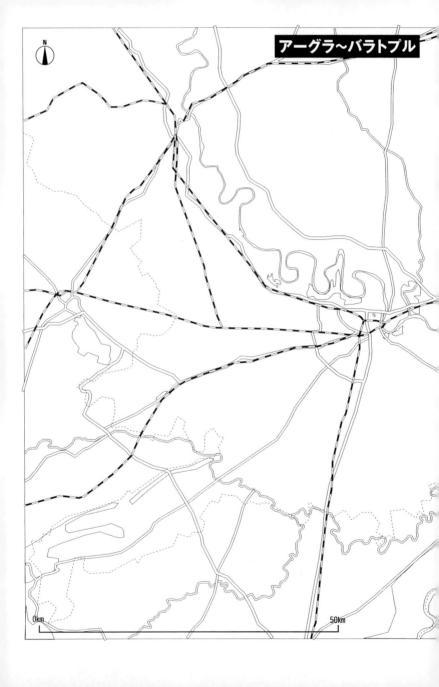

アーグラ～バラトプル

N

0km   50km

ケオラデオ国立公園

N

0km   3km

バラトプル

0km　　　　　　　　　　　　　　　　　2km

【車輪はつばさ】
南インドのアイラヴァテシュワラ寺院には
建築本体に車輪がついていて
寺院に乗った神さまが
人びとの想いを運ぶと言います

An amazing stone wheel of the Airavatesvara Temple
in the town of Darasuram, near Kumbakonam in the South India

まちごとインド
北インド 013

ファテープル・シークリー

ムガル帝国の栄光と「幻の都」
[モノクロノートブック版]

「アジア城市（まち）案内」制作委員会
まちごとパブリッシング
http://machigotopub.com

・本書はオンデマンド印刷で作成されています。
・本書の内容に関するご意見、お問い合わせは、発行元の
　まちごとパブリッシング info@machigotopub.com までお願いします。

まちごとインド
新版 北インド013ファテープル・シークリー
〜ムガル帝国の栄光と「幻の都」

2020年 8月15日　発行

著　者　　「アジア城市（まち）案内」制作委員会
発行者　　赤松　耕次
発行所　　まちごとパブリッシング株式会社
　　　　　〒181-0013　東京都三鷹市下連雀4-4-36
　　　　　URL http://www.machigotopub.com/
発売元　　株式会社デジタルパブリッシングサービス
　　　　　〒162-0812　東京都新宿区西五軒町11-13
　　　　　清水ビル3F
印刷・製本　株式会社デジタルパブリッシングサービス
　　　　　URL http://www.d-pub.co.jp/

MP317